À tous les membres de

L'apprentissage de la lecture est l'une des réali:
importantes de la petite enfance. La collection
pour aider les enfants à devenir des lecteurs ex
Les jeunes lecteurs apprennent à lire en se souvenant de mots utilisés
fréquemment comme « le », « est » et « et », en utilisant les techniques
phoniques pour décoder de nouveaux mots et en interprétant les indices
des illustrations et du texte. Ces livres offrent des histoires que les
enfants aiment et la structure dont ils ont besoin pour lire couramment
et sans aide. Voici des suggestions pour aider votre enfant avant,
pendant et après la lecture.

Avant

Examinez la couverture et les illustrations, et demandez à votre
enfant de prédire de quoi on parle dans le livre.

Lisez l'histoire à votre enfant.

Encouragez votre enfant à dire avec vous les formulations et les mots
qui lui sont familiers.

Lisez une ligne et demandez à votre enfant de la relire après vous.

Pendant

Demandez à votre enfant de penser à un mot qu'il ne reconnaît
pas tout de suite. Donnez-lui des indices comme : « On va voir si
on connaît les sons » et « Est-ce qu'on a déjà lu un mot comme
celui-là? ».

Encouragez l'enfant à utiliser ses compétences phoniques pour
prononcer d'autres mots.

Lorsque l'enfant a besoin d'aide, lisez-lui le mot qui pose un
problème, pour qu'il n'ait pas trop de mal à lire et que l'expérience
de la lecture avec les parents soit positive.

Encouragez votre enfant à lire avec expression... comme un
comédien!

Après

Proposez à votre enfant de dresser une liste de mots qu'il préfère.

Encouragez votre enfant à relire ses livres. Il peut les lire à ses frères
et sœurs, à ses grands-parents et même à ses toutous. Les lectures
répétées donnent confiance au jeune lecteur.

Parlez des histoires que vous avez lues. Posez des questions et
répondez à celles de votre enfant. Partagez vos idées au sujet des
personnages et des événements les plus amusants et les plus
intéressants.

J'espère que vous et votre enfant allez aimer ce livre.

Francie Alexander,
spécialiste en lecture
Groupe des publications
éducatives de Scholastic

À Nelson Jaquan Lee Jr., admirateur de Caramel
— K.M.

À Gabrielle, qui ne manque (presque) jamais l'autobus
— M.S.

Catalogage avant publication de Bibliothèque
et Archives Canada

McMullan, Kate
Caramel et l'autobus scolaire / texte de Kate
McMullan ; illustrations de Mavis Smith ;
texte français de France Gladu.

(Je peux lire!. Niveau 3)
(Caramel, le cochon d'Inde)
Traduction de: Fluffy's school bus adventure.
Pour les 6-8 ans.
ISBN 0-439-95843-1

I. Smith, Mavis II. Gladu, France, 1957- III. Titre.
IV. Collection. V. Collection: McMullan, Kate
Caramel, le cochon d'Inde.

PZ23.M345Cam 2005   j813'.54   C2004-906704-4

Édition publiée par les Éditions Scholastic,
175 Hillmount Road, Markham (Ontario) L6C 1Z7.

5 4 3 2 1   Imprimé au Canada   05 06 07 08

CARAMEL

et l'autobus scolaire

Kate McMullan
Illustrations de Mavis Smith
Texte français de France Gladu

Je peux lire! — Niveau 3

Éditions
SCHOLASTIC

Une grave erreur

C'est vendredi après-midi.

— Au revoir, dit Mme Belin à ses élèves.

Mme Belin s'apprête à partir, elle aussi,
lorsqu'elle aperçoit Caramel.
— Caramel! s'exclame-t-elle. Tu es
encore ici?

— Jasmine devait te ramener chez elle,
dit Mme Belin. Elle a dû t'oublier.
« M'oublier? pense Caramel. **Comment
est-ce qu'on peut m'oublier?** »

— J'arriverai peut-être à la rattraper,
dit Mme Belin.

Elle saisit la cage de Caramel et se
précipite dehors. D'un pas rapide,
elle s'approche d'un autobus.

— Est-ce que Jasmine se trouve dans
votre autobus? demande Mme Belin à
la chauffeuse.

La chauffeuse hoche la tête.

Mme Belin tend la cage.

— Elle a oublié quelque chose, dit-elle.

« **Ce doit être moi!** » pense Caramel.

La chauffeuse prend la cage de Caramel.
Elle lui trouve une place libre.
— Je vais surprendre Jasmine lorsqu'elle
descendra, dit-elle.
Puis elle met l'autobus en marche.

Une fille est assise à côté de Caramel.
Elle le sort de sa cage.

— Tiens, voilà une sucette, petit cochon
d'Inde, dit-elle.

« **Qu'est-ce que c'est que ça?** » pense
Caramel.

Il lèche la sucette. Quel bon goût! Sa
fourrure devient bientôt verte et collante.

— Je descends ici, dit la fille.
Elle confie Caramel aux
garçons assis derrière elle.
— Au revoir, petit cochon
d'Inde! dit-elle.

Les garçons jouent avec de la glue
mauve.
— Tu en veux aussi, petit cochon
d'Inde? demandent-ils.
Ils apprennent à Caramel à étirer
la glue. Ses pattes deviennent
toutes mauves.
« **Oooooh!** » se dit Caramel.
La glue lui fait penser à une gelée
froide.

Les garçons rangent la glue dans un
pot. Ils remettent Caramel à la fille
derrière eux.

— Au revoir, petit cochon d'Inde!
disent-ils.
Caramel et la fille sont les derniers
passagers de l'autobus.

La fille prête ses lunettes de soleil à
Caramel. Elle saupoudre des brillants
sur son poil.

— Tu as l'air d'une vedette rock, dit-elle.

« **Tout à fait moi!** » pense Caramel.

La fille soulève Caramel devant la fenêtre.
Des enfants d'un autre autobus
l'aperçoivent et le saluent. Caramel
la vedette rock les salue à son tour.

L'autobus s'arrête de nouveau.
La fille reprend ses lunettes.
Puis elle rapporte Caramel à la
chauffeuse.
— Attends, dit la chauffeuse.
Mme Belin m'a demandé de te
laisser le cochon d'Inde,
Jasmine.

— C'est Jasmine P. qui est dans
la classe de Mme Belin, dit la
fille. Moi, je suis Jasmine M.
Et elle descend de l'autobus.

Caramel regarde la chauffeuse. La
chauffeuse regarde Caramel.
« **Flûte alors!** pensent-ils tous les
deux. **Il y a eu une grave erreur!** »

Caramel à la rescousse

— Je sais où habite Jasmine P., dit la chauffeuse à Caramel. Je vais te déposer chez elle.

Elle glisse Caramel dans sa poche. Puis elle se met en route.

« **Laissez passer l'autobus!** » pense Caramel.

La chauffeuse s'arrête à un feu rouge.
Soudain, l'autobus fait CLOUC! et le
moteur tombe en panne.
« **Ah non!** » pensent Caramel et la
chauffeuse.

La chauffeuse appelle une dépanneuse.
Le chauffeur de la dépanneuse place
un gros crochet sous le pare-chocs de
l'autobus. Puis la dépanneuse soulève
le devant de l'autobus.
« **Drôlement forte, cette dépanneuse!** »
pense Caramel.

La chauffeuse et Caramel prennent
place dans la dépanneuse.
« **Laissez passer la dépanneuse!** »
pense Caramel.

Ils s'arrêtent au garage.

— Quel est le problème? demande le mécanicien.

— Le moteur a fait CLOUC! puis il s'est arrêté, dit la chauffeuse.

Le mécanicien soulève le capot. Il se penche sur le moteur et dévisse des bouchons. Il fait quelques ajustements. Puis il essaie de mettre l'autobus en marche. Sans succès!
— Vous êtes sûre qu'il a fait CLOUC? demande-t-il. Et non pas CLIC? Ou même CLAC?

— Il a bien fait CLOUC! dit la chauffeuse.
Elle se penche tout au-dessus du moteur.
Caramel tombe de sa poche.
« **Hé là!** » s'écrie-t-il.

Caramel saisit un tube. Il est trop huileux.
Caramel lâche prise. Il attrape un câble.
Il est trop graisseux. Les pattes de Caramel
glissent. Il s'accroche à un genre de corde.
« **Ouf!** » pense Caramel.

Caramel s'agrippe à la corde. Il remonte,
remonte. Enfin, il parvient à sortir de cet
endroit glissant.

« **Me revoilà!** » pense Caramel.

— Le petit cochon d'Inde a trouvé une courroie de ventilateur cassée, dit le mécanicien. Je vais pouvoir réparer cet autobus, à présent.

La chauffeuse soulève Caramel.

— Beau travail, petit cochon d'Inde, dit-elle.

« **Il a fallu que je me salisse, pense Caramel. Mais il fallait bien que quelqu'un le fasse!** »

Caramel fait la fête

Le mécanicien remplace la courroie du ventilateur. Il termine juste à l'heure du souper.

— Si nous commandions une pizza? propose-t-il.

— Bonne idée, dit le chauffeur de la dépanneuse.

— D'accord! dit la chauffeuse de l'autobus. Pizza et musique en l'honneur du cochon d'Inde!

« **Génial!** pense Caramel. **On va faire la fête!** »

Le chauffeur de la dépanneuse
commande la pizza. Le mécanicien
allume sa radio :

On va danser toute la nuit!
On va danser, et toi aussi!
Un tour à droite! Un tour à gauche!
Allez, allez, il faut que ça chauffe!

— Tu sais danser, petit cochon d'Inde?
demande la chauffeuse à Caramel.

« **Qui, moi?** » pense Caramel la vedette rock.
Et il exécute une danse endiablée.

— La pizza arrive! annonce le chauffeur
de la dépanneuse.
Chacun se précipite vers la table. La pizza
est garnie de poivrons rouges et verts.
« **Chouette!** » pense Caramel.
Il saute sur sa pointe et en prend une
grosse bouchée.

— Il faut partir, maintenant, petit
cochon d'Inde, dit la chauffeuse de
l'autobus.
Caramel fait ses adieux au conducteur
de la dépanneuse et au mécanicien.

Puis la chauffeuse le glisse de nouveau
dans sa poche. Elle met l'autobus en
marche. Il démarre immédiatement.

En route vers la maison de Jasmine, Caramel repense à sa sucette. Il songe à la glue mauve et à ses lunettes de vedette rock. Il se rappelle sa promenade en dépanneuse et la courroie cassée qu'il a trouvée dans l'autobus. Il lèche une goutte de sauce à pizza sur sa patte arrière.

« **Quelle belle journée!** pense Caramel. **Tout a été formidable!** »

La chauffeuse sonne chez Jasmine.

— Caramel! s'écrie Jasmine en ouvrant
la porte. Pauvre petit cochon d'Inde!

— Oh, mais il va très bien, dit la
chauffeuse.

Elle fait un clin d'œil à Caramel.

— Au revoir, petit cochon d'Inde!

Jasmine emporte Caramel dans la maison.

— Je suis désolée de t'avoir oublié, dit-elle.
Je vais te donner un bain chaud. Puis tu
auras des carottes et des pommes. Ensuite,
je vais t'installer dans mon lit de poupée et
te bercer.

Elle serre Caramel très fort.

— Mon petit cochon d'Inde perdu, dit-elle.
Comme tu devais être malheureux!

« **Ah oui!** » pense Caramel, bien
enveloppé dans une couverture
chaude. « **Très malheureux!** »